财智群岛的求救信

4

毛妮妮　栾笑语　著

潘　婷　绘

知识产权出版社

全国百佳图书出版单位

一天晚上，妮妮躺在床上，看着窗外的满天星光，迷迷糊糊正要睡着，忽然听到一阵"嘟嘟"的清脆响声。妮妮起身一看，原来是小燕子在敲窗户呢。

2

　　妮妮打开窗户，小燕子飞了进来。"小燕子，我们又见面了！"妮妮高兴地说。小燕子抖抖翅膀说："妮妮好！这次我又要找你帮忙啦！"妮妮连连点头说："我很愿意！""先别忙着答应，看看这封信吧！"小燕子抬起右脚。

　　妮妮托起小燕子的脚，只见上面绑着一个小小的信筒。轻轻地打开信筒，妮妮将里面的小纸条拿了出来。"这可是魔法信筒里的魔法信件呢！"小燕子说。妮妮认真看着魔法信件，上面是一幅有趣的画。画上有许多小岛，有的岛上堆满了石头，有的岛上布满珍珠、贝壳，有的岛上有金灿灿的山，还有的小岛上有热气腾腾的大火炉……最后画的是一张苦恼的脸。

　　"这是财智群岛发来的求救信。"小燕子解释说，"财智群岛有很多岛，每个岛都有自己使用的钱，一个岛的钱拿到另一个岛上就不能用了，大家都很发愁。所以，财智国王决定，所有岛都使用同一种钱，可是用哪一种，大家都争得不可开交。听说你帮助了交换王国，财智国王打算请你帮忙，找出最好用的钱。"

"我能帮到财智群岛吗？"妮妮有些犹豫地说，这可是一项重要的任务。

小燕子啄啄妮妮的小手，"别磨蹭了，我们现在就走，财智群岛已经吵得不可开交了。"

"嗯……那我们先去看看吧！"妮妮答应了。

小燕子又变出了羽毛毯子，妮妮坐在上面，和小燕子一起，飞出了窗户。看着楼房和汽车越来越小，星星和月亮越来越亮，妮妮高兴极了！突然，眼前一闪，月亮和星星不见了，大大的太阳挂在天空中。小燕子扇扇翅膀说："财智群岛到了！"

羽毛毯子落在了一个台子前面，刚一落地，就听见有人说："妮妮，你终于来了！"

妮妮站稳了一看，一个满头大汗的人站在她面前，正是给她写求救信的国王。台子下面也站满了人，他们把妮妮围在中间。

"石头是最棒的！""珍贝才是最好的！""金银才是真正的钱！""铸币最好用！"

国王愁眉苦脸地说："妮妮，麻烦你来听一听，到底哪种钱最好。"妮妮连连点头，大声说："大家先别吵了，一个一个上台说。"

5

　　妮妮的话音刚落，一位大叔就上了台。他手里举着一块圆圆的石头说："看！这就是我们石头岛用的石头钱，越大，就越贵重。石头遍地都是，是每一个岛屿都能方便使用的钱！"

　　"你说得不对！"台下有人反对，"石头那么笨重，搬来搬去太麻烦了！"

　　大叔摇摇头，"为什么要搬来搬去？石头是谁的，做个记号就行了。石头钱用来交换了物品，换个记号就可以，很方便。"

　　妮妮想了想说："石头岛的人到其他岛买东西，不带着石头，怎么证明自己真的有钱呢？"

　　"妮妮说得对！"一个小姑娘跳上了台，"我来自珍贝岛，闪亮的珍珠和贝壳就是我们用的钱。它们小巧、美丽，方便携带，可以放在衣服口袋里带到财智群岛的任何地方，这难道不是最合适的钱吗？"

　　"不对，不对！"台下有人反对，"珍珠贝壳形状不同，还容易损坏，我们才不要用呢！"

　　说话的人紧跟着上了台，阳光照在他的身上，发出金灿灿的光。妮妮定睛一看，原来是个帅气的小男孩，头上和身上都戴满了金色的饰品，看起来又漂亮、又富贵。

　　"我是金银岛的代表，我们用黄金和白银交换物品。石头遍地都是，一点都不贵重；珍珠贝壳容易摔碎，哪有金银结实！黄金和白银是稀有金属，又耐磨、又耐用，是财智群岛最应该使用的钱啦！"

可是还有人不服气，"就算是金银，也需要分割、称重，总不能带着一大块黄金去买一个苹果！还是我们青铜岛的铸币最好用！"

妮妮转头一看，一位老人拎着一串钱币上了台，手一晃，钱币就发出"叮叮当当"的声响。

"我们青铜岛设计各种形状的青铜铸币，有圆形的、方形的、鱼形的、铲形的和刀形的。"老人说："买什么，就用什么形状的钱。你要买鱼，就用鱼形钱，你要买铲子，就用铲形钱。方便携带，更方便交易。"

妮妮仔细看了看那串钱币，说："还真是方便使用呢！"

　　"不好，不好！石头最好！""青铜岛的钱还要铸造，太费事啦！""珍珠、贝壳最漂亮，其他的我们不喜欢！"

　　妮妮、小燕子，还有财智国王都捂住了耳朵，真是太吵啦！

　　财智国王没有办法，看向妮妮，"亲爱的妮妮，你觉得用哪种钱最好呢？"

　　妮妮皱起眉头，"大家说的都有道理，我要想想才能告诉你们。"

财智国王和各个岛上的人叹着气说："那我们就等着妮妮的建议啦！"

妮妮也很发愁，就连坐上羽毛毯子，都兴奋不起来了。

第二天，妮妮还在想财智群岛上的事情。

妈妈抱住妮妮，"宝贝，你在想什么呢？"

"妈妈……什么样的钱才是最好的钱呢？"妮妮问妈妈，"石头钱、珍珠和贝壳、黄金和白银，还是各种形状的青铜币呢？"

妈妈认真地想了想，说："关于各种钱的事情，我们可要说很长时间哦！"

"其实，每一种都很好用。"妈妈告诉妮妮："在小村庄里，石头钱很方便；在海边，珍珠和贝壳也经常被用作交换。但是在有些地方，比如没有海的地方，石头钱和珍珠贝壳，就不好用了。所以后来，人们就把野兽的骨头雕刻成贝壳的样子，当作钱用。"

"历史上，青铜是十分稀有的金属。青铜币有统一的规格和重量，也很好用。但是，现在青铜不再稀有了，大家渐渐地就不再使用了。

相比之下，很多国家使用黄金和白银作为货币。可是，黄金和白银很沉重，携带不方便，有的国家就创造出纸做的钱，一元钱代表一定重量的黄金或者白银，用起来也很方便。"

妮妮听了，连忙拿出游戏用的玩具钱，"就是这种纸做的钱吗？"

"是的，这就叫做纸币。"妈妈说。

"原来纸币这么有用啊！"

妈妈笑了说：“事实上，大家并不需要将纸币换成黄金和白银，只用纸币就可以买东西啦！”

“对啊，对啊！”妮妮想起来，妈妈和爸爸从来都是拿着纸币去买东西的，并没有把它换成黄金买东西。

"纸币是现在最常用的钱，有一些金属硬币也在使用。"妈妈说，"纸币容易破损，金属硬币不容易破损。所以，纸币一般是较大数额的钱，金属硬币一般是小额零钱。"

15

"原来，纸币就是最适合的钱啦！"妮妮想，
"财智群岛的朋友们还等着我来想办法呢，我可
得快点行动。"

妮妮拿着自己的玩具钱看了又看，想了又想，
终于想到了一个好主意。

于是，妮妮很认真地画了一张画。长方形的
纸上，右边画上了财智国王苦恼的脸，左边写了
数字，背面把石头、珍贝、金银和青铜铸币全都
画了上去。妮妮把画交给了小燕子，相信财智国
王一定能看懂。

几天后的一个夜晚，小燕子飞回来了。

"财智国王还好吗？" 妮妮问。

小燕子扇扇翅膀，"财智国王不发愁了，他说多亏你想出了好办法！现在，每个岛还在用自己的钱，但是纸币可以在整个财智群岛使用。石头岛的人到珍贝岛做生意，不用带石头，带上这种纸币就可以了！" 小燕子抬抬腿，"财智国王还让我给你带来一张纸币呢！"

还是那个小小的魔法信筒，妮妮打开信筒后，将纸币拿了出来。只见长方形的纸上，一面是各个岛自己的钱币，一面是自己和财智国王的笑脸。帮助财智群岛解决了大问题，妮妮高兴极了。

财智岛的求救信

现在孩子对于钱已经有了一些了解，那么接下来爸爸、妈妈可以给孩子讲解货币的特征了，让孩子了解纸币和硬币的形状、大小、发行机构、面值、材质、图案的含义等，让孩子对于每一种钱币背后的意义有更加深入的感知。快快做一套属于家庭的专属货币吧。

我们要准备什么呢？
彩色铅笔；
货币制作道具（见本册书附带货币制作道具）；
主要国家货币图片（建议美元、欧元、英镑、加元、澳元、日元、韩元等）

1 爸爸、妈妈可以准备一些人民币，让孩子观察一下各面值的钱币的特征。例如，人民币的形状、大小、发行机构、面值、材质、图案和防伪标志等。

2 可以问孩子："孩子，你准备给咱们的家庭专属货币设计多少种啊？"，从而引导孩子认识货币的面值大小与货币金额大小的关系。

3 让孩子挑选货币纸来绘画或者利用贴纸进行制作，从而引导孩子了解每种货币的特征。

4 可以进一步引导孩子认识不同面值货币之间的关系。

5 爸爸、妈妈还可以找到其他主要国家货币的图片，引导孩子观察各国货币的特征，了解各国的钱币文化。

毛妮妮

"财智少年"青少年儿童财商教育项目创始人，金融教育从业十余载，是中国最早从事青少年儿童金融启蒙教育、财经素养培养的实践者之一；曾任瑞银金融大学（UBS Business University）中国区总监，全面负责瑞银集团中国区"第二代培养计划 —— Young Generation (睿隽计划)"的策划、设计与实施，亲历中国超高净值人群财富传承，对于中产阶层人群的财富积累、财富观养成、财富意识打造具有独到见解；近年来，一直致力于传播正确的财富观、培养青少年经济社会的独立生存能力和理性选择能力，帮助其提升幸福感。

栾笑语

吉林大学文学硕士，资深媒体人。
长期关注宏观经济和微观经济、青少年财商教育，对儿童心理学也有研究。
现供职于《经济日报》，为主任记者。

4

财智少年订阅号　　　　财智少年服务号　　　　扫一扫听绘本

来设计
属于自己的货币吧！

财智中央银行	财智中央银行	财智中央银行	财智中央银行
财智中央银行	财智中央银行	财智中央银行	财智中央银行
财智中央银行	财智中央银行	财智中央银行	财智中央银行
财智中央银行	财智中央银行	财智中央银行	财智中央银行

1	5	10	20	50	100
1	5	10	20	50	100
1	5	10	20	50	100
1	5	10	20	50	100
1	5	10	20	50	100
1	5	10	20	50	100

防伪线　　　　发行机构

金额 —— 1　　　　财智中央银行